D1383466

MME PRINCESSE

et le petit pois

MME PRINCESSE
et le petit pois

Roger Hargreaves

Écrit et illustré par Adam Hargreaves

hachette
JEUNESSE

Un soir, il n'y a pas si longtemps, alors qu'elle rentrait chez elle, madame Princesse fut prise dans une terrible tempête et son carrosse se retrouva coincé dans la boue.

Heureusement, elle aperçut de la lumière au loin et décida d'aller chercher de l'aide et de se mettre à l'abri pour la nuit.

Elle marcha à travers le vent et la pluie jusqu'à la maison éclairée.

En chemin, elle perdit sa couronne.

Madame Princesse arriva devant la grande maison complètement trempée, épuisée et... très décoiffée.

En fait, elle ne ressemblait plus du tout à une princesse.

Elle frappa à la porte d'entrée.

C'était la maison de monsieur Malpoli, l'homme
le plus riche mais aussi le plus grossier du monde.

– Qu'est-ce que vous voulez ? bougonna-t-il
en ouvrant la porte.

Madame Princesse lui raconta ce qui venait
de lui arriver et lui demanda s'il pouvait l'abriter
jusqu'au lendemain.

– Non, vous n'entrerez pas chez moi ! hurla-t-il. Vous allez abîmer tous mes beaux tapis.

– S'il vous plaît, aidez-moi, supplia madame Princesse. J'ai froid et je suis fatiguée. J'ai juste besoin d'un lit pour la nuit.

– Faites le tour et je verrai ce que je peux faire, répondit-il d'un ton irrité, en lui claquant la porte au nez.

Quel grossier personnage !

La pauvre madame Princesse contourna la maison en traînant les pieds. Monsieur Malpoli ouvrit la porte de derrière.

– Vous en avez mis du temps ! Bon, vous pouvez dormir ici, dit-il en désignant la cave froide et humide.

– Mais je suis une princesse ! protesta madame Princesse.

– Pff... n'importe quoi ! Vous n'avez même pas de couronne, répondit monsieur Malpoli.

– Je l'ai perdue dans la tempête, expliqua madame Princesse.

– Votre histoire est invraisemblable. Si vous êtes réellement une princesse, vous allez devoir le prouver !

Monsieur Malpoli conduisit madame Princesse dans son immense salle à manger. Autour de la grande table étaient assis quelques invités.

Monsieur Malpoli expliqua la situation et leur demanda leur avis.

– Les princesses sont très douées pour la valse. Dansons ! suggéra monsieur Malchance.

Évidemment, monsieur Malchance marcha sur les pieds de madame Princesse et la fit tomber.

– Affligeant ! s'écria monsieur Malpoli. Si elle ne sait pas danser, c'est qu'elle n'est pas une princesse.

– Les princesses sont aussi très douées pour saluer avec la main, dit monsieur Chatouille.

C'est vrai que madame Princesse était assez fière de son salut et elle adorait saluer les gens depuis son carrosse. Mais ce soir-là, à chaque fois qu'elle leva les bras, monsieur Chatouille lui fit des guili-guili.

Il la chatouilla tellement qu'elle glissa par terre.

– À part tomber, elle ne sait ni danser ni saluer ! s'impatienta monsieur Malpoli. Décidément, elle n'est pas une princesse.

– J'ai entendu dire, l'interrompit madame Beauté, que les princesses sont très délicates… si délicates qu'elles peuvent même sentir un petit pois glissé sous leur matelas.

– Hum… dit monsieur Malpoli. C'est une idée intéressante.

Monsieur Malpoli partit chercher un petit pois et se rendit à l'étage, suivi par ses invités.

Monsieur Avare souleva le matelas et monsieur Malpoli glissa le petit pois dessous.

Mais monsieur Avare regarda le lit.

– Un seul matelas, ce n'est pas assez ! dit-il.

– Vous avez raison ! Apportez plus de matelas ! ordonna-t-il.

Ils empilèrent des matelas les uns sur les autres jusqu'à presque atteindre le plafond. Et enfin, madame Princesse alla se coucher.

– Bonne nuit, dit monsieur Malpoli en éteignant la lumière.

Puis il alla se coucher lui aussi dans son lit.
Enfin, plutôt sur son sommier car il n'y avait plus
un seul lit avec un matelas dans toute la maison.

Il fut donc réveillé très tôt le lendemain matin. D'une part pour vérifier si l'idée de madame Beauté avait fonctionné, mais surtout parce qu'il venait de passer une très mauvaise nuit sur son sommier dur.

– Avez-vous bien dormi ? demanda-t-il à madame Princesse.

– Merveilleusement bien ! répondit-elle.

– Ah ! Je savais bien que vous n'étiez pas une princesse ! s'écria-t-il.

– Et pourtant, j'ai dormi dans le plus grand et le plus confortable lit de votre maison, précisa madame Princesse avec un sourire radieux.

– Oh ! répondit Monsieur Malpoli d'un air abattu.

– Et surtout, la prochaine fois que vous voudrez tester une princesse… utilisez un petit pois frais et pas un petit pois cuit… ajouta-t-elle en soulevant le premier matelas et en lui montrant un petit pois tout écrasé.

Monsieur Malpoli devint encore plus rouge et ne sut pas quoi répondre. Il était très embarrassé.

Madame Princesse rentra chez elle.

– Quel gâchis pour ce petit pois ! ronchonna
monsieur Avare.

RÉUNIS VITE LA COLLECTION ENTIÈRE

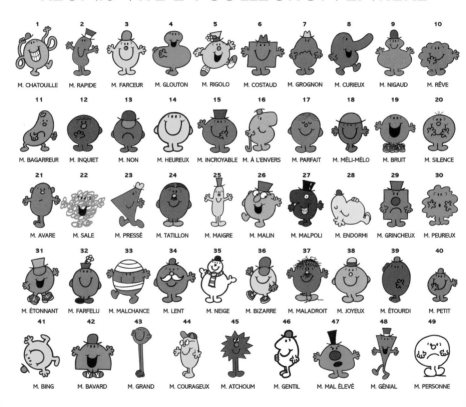

1	2	3	4	5	6	7	8	9	10
M. CHATOUILLE	M. RAPIDE	M. FARCEUR	M. GLOUTON	M. RIGOLO	M. COSTAUD	M. GROGNON	M. CURIEUX	M. NIGAUD	M. RÊVE

11	12	13	14	15	16	17	18	19	20
M. BAGARREUR	M. INQUIET	M. NON	M. HEUREUX	M. INCROYABLE	M. À L'ENVERS	M. PARFAIT	M. MÉLI-MÉLO	M. BRUIT	M. SILENCE

21	22	23	24	25	26	27	28	29	30
M. AVARE	M. SALE	M. PRESSÉ	M. TATILLON	M. MAIGRE	M. MALIN	M. MALPOLI	M. ENDORMI	M. GRINCHEUX	M. PEUREUX

31	32	33	34	35	36	37	38	39	40
M. ÉTONNANT	M. FARFELU	M. MALCHANCE	M. LENT	M. NEIGE	M. BIZARRE	M. MALADROIT	M. JOYEUX	M. ÉTOURDI	M. PETIT

41	42	43	44	45	46	47	48	49
M. BING	M. BAVARD	M. GRAND	M. COURAGEUX	M. ATCHOUM	M. GENTIL	M. MAL ÉLEVÉ	M. GÉNIAL	M. PERSONNE

DES **MONSIEUR MADAME**

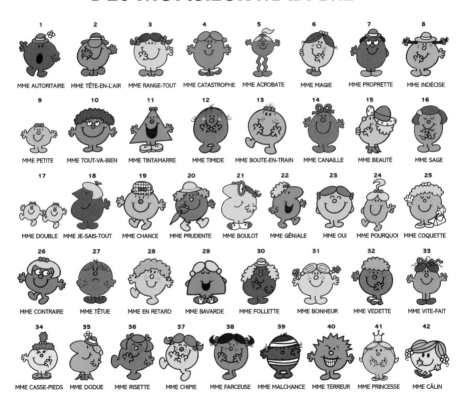

1 MME AUTORITAIRE	2 MME TÊTE-EN-L'AIR	3 MME RANGE-TOUT	4 MME CATASTROPHE	5 MME ACROBATE	6 MME MAGIE	7 MME PROPRETTE	8 MME INDÉCISE
9 MME PETITE	10 MME TOUT-VA-BIEN	11 MME TINTAMARRE	12 MME TIMIDE	13 MME BOUTE-EN-TRAIN	14 MME CANAILLE	15 MME BEAUTÉ	16 MME SAGE
17 MME DOUBLE	18 MME JE-SAIS-TOUT	19 MME CHANCE	20 MME PRUDENTE	21 MME BOULOT	22 MME GÉNIALE	23 MME OUI	24 MME POURQUOI	25 MME COQUETTE
26 MME CONTRAIRE	27 MME TÊTUE	28 MME EN RETARD	29 MME BAVARDE	30 MME FOLLETTE	31 MME BONHEUR	32 MME VEDETTE	33 MME VITE-FAIT
34 MME CASSE-PIEDS	35 MME DODUE	36 MME RISETTE	37 MME CHIPIE	38 MME FARCEUSE	39 MME MALCHANCE	40 MME TERREUR	41 MME PRINCESSE	42 MME CÂLIN

Traduction : Anne Marchand Kalicky
Édité par Hachette Livre – 58, rue Jean Bleuzen, 92178 Vanves Cedex
Dépôt légal : août 2015.
Loi n°49-956 du 16 juillet 1949 sur les publications destinées la jeunesse.
Achevé d'imprimer par Canale en Roumanie.